# NO

# SMOKING

# NO SMOKING

Conception et réalisation : GRAPH'M

ISBN : 2-7528-0084-3
Code éditeur : T00084

Dépôt légal : septembre 2004
Imprimé à Singapour, par Tien Wah Press

www.fitwaypublishing.com

Fitway Publishing
12, avenue d'Italie – 75627 Paris cedex 13

# NO SMOKING

pierre doncieux
illustrations jean-pierre cagnat

préface docteur vera luiza da costa e silba
*organisation mondiale pour la santé*

# SOM

MAIRE

# *No smoking*

Le tabac est la seule substance en vente légale qui, consommée conformément aux instructions du fabricant, tue la moitié de ses usagers réguliers.
Il y a 1,3 milliard de fumeurs dans le monde, dont un décède d'une maladie liée au tabagisme toutes les 6,5 secondes.
Les trois quarts de ces « consommateurs » de tabac souhaiteraient arrêter, mais la nicotine est une substance hautement addictive. Pour sortir de cette dépendance, il est essentiel que l'entourage du fumeur participe à son effort.
Parmi les mesures prises qui apportent une aide réelle, citons l'interdiction de faire de la publicité pour le tabac et de fumer dans les lieux publics, l'augmentation du prix du paquet de cigarettes et des taxes sur le tabac, la généralisation des campagnes d'information.
Dans ces domaines – et bien d'autres – la Convention-cadre de l'OMS pour la lutte antitabac, adoptée par les membres de l'Organisation mondiale pour la santé en mai 2003, fixe des

standards minimums afin d'aider les fumeurs à cesser leur consommation de tabac et à traiter leur dépendance à la nicotine.
Cet ouvrage s'attache à démontrer que, pour vaincre la dépendance au tabac, non seulement il est indispensable d'avoir recours à de bons conseils médicaux et parfois à un traitement spécifique, mais aussi, et surtout, de bénéficier, une fois la décision prise de renoncer au tabac, de l'aide et des encouragements de sa famille et de ses amis.
Il met également en avant tous les avantages que l'on retire de l'arrêt du tabac et décrit ce qu'est la satisfaction que l'on éprouve lorsque l'on a enfin surmonté cette dépendance potentiellement mortelle.

J'espère que ce livre soutiendra dans leur effort tous ceux qui ont décidé d'échapper au tabac, et donnera à d'autres le courage de les imiter.

**Docteur Vera Luiza da Costa e Silba,** MD, PhD
*Directrice de la Tobacco Free Initiative (TFI) ; maladies non contagieuses et troubles mentaux,* ***Organisation mondiale pour la santé.***

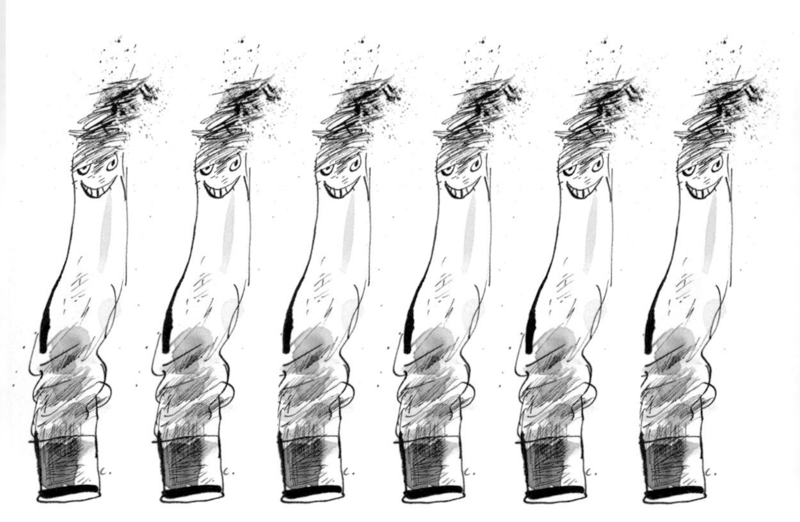

# Pourquoi j'arrête

J'arrête ce matin. Et pour avoir une chance d'y parvenir, il faut commencer par tout chambouler. Plus de pause café-journaux après avoir déposé l'aînée le matin à l'école, par exemple. Ce serait trop tentant. Le café appelle la cigarette. Fini. Marre. Je me sens prisonnier. Je stoppe pour vivre mieux… ne plus avoir, entre autres, de mouvement de recul avant d'embrasser ma femme et mes enfants en rentrant le soir après « en avoir grillé une » sur mon scooter. Le déclic a eu lieu le jour où j'ai réalisé que l'haleine d'un fumeur peut indisposer jusqu'à sa propre famille. Puis l'idée a fait, peu à peu, son chemin. Je n'en suis pourtant pas à la première

tentative. J'ai tenu 3 mois une première fois, le double au second essai. C'était il y a 5 et 10 ans. Échecs. Pour que cette fois soit la bonne, je me suis fait conseiller. Indispensable, disent les anciens (fumeurs). Le docteur G., notre médecin de famille, m'a gardé trois quarts d'heure en consultation, comme un vrai malade. 45 minutes durant lesquelles il s'est employé à décrire les difficultés engendrées par cette décision. Il m'a prévenu : ce sera physiquement et psychologiquement dur. Le docteur G. m'a prescrit des patchs, les plus forts car je suis considéré

par la science comme un être en danger. 20 ans que j'inhale 20 à 30 blondes fortes chaque jour. J'arrête parce que je ne veux plus être amoureux de mes cigarettes, mais de la vie. Je n'ai pas envie de l'écourter à cause d'un boulet en carton bourré de nicotine, à 5 euros.

**Un seul mot d'ordre désormais : tenir.**

# 72 heures plus tard, je ne regrette toujours rien… mais je n'ai que cela en tête !

J'essaie de temps en temps de me souvenir. J'aspire « à blanc ». J'imagine alors la fumée m'envahissant. Ce délicieux sentiment de « chaud » sur la langue, suivi du passage dans la trachée avec, lorsque la bouffée a été (trop) longue, une légère impression d'étouffement. Et la fumée qui continue sa route, sa descente aux enfers, avant de revenir. Éjection totale. De préférence par le nez. J'adorais l'évacuer doucement par cet orifice. Au rythme tranquille de la respiration. L'air de rien. J'éprouvais aussi du plaisir à la faire sortir par la bouche tout en parlant. En sifflant. En soufflant… Je m'attendais à avoir besoin d'occuper mes mains. Or c'est ma bouche qui réclame quelque chose. Ce marathon démarre par un sprint. Il faut gérer le court terme, essayer d'oublier ces cigarettes allumées toutes les demi-heures lorsque j'étais fumeur. En particulier les meilleures : la première du matin, dégainée sur le palier, dès la porte franchie, et fumée dans l'escalier ; celles des « after… » – entendez après le déjeuner et après le dîner.

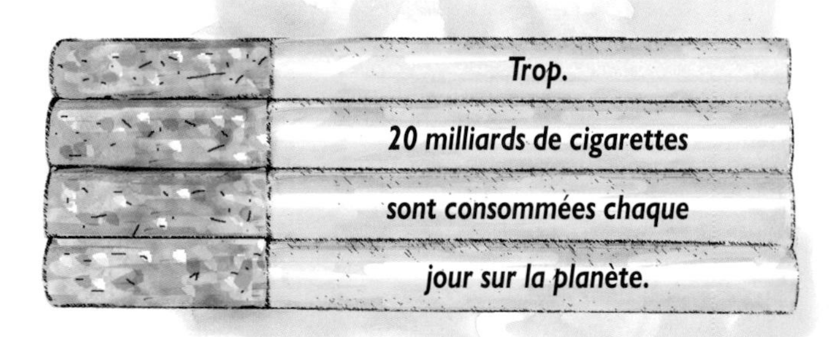

# *No smoking*

Les moments les plus difficiles ne sont cependant pas ces rendez-vous cigarette habituels. Je me raisonne à leur approche. Les attaques sournoises et impromptues de la nicotine, auxquelles le patch et mon cerveau ne peuvent rien, font plus mal. Une envie irrésistible de fumer surgit alors que je suis au téléphone, en réunion, dans une conversation ou dans la rue. Les attaques se produisent même au sortir de la douche après une intense séance de tennis. Ces déferlements me rendent triste. Pas encore agressif. Ils durent une dizaine de minutes. Je ne sais pas (encore) comment ni avec quoi les combler. Je serre les dents. Dîner d'amis avant-hier soir. Dessert. Café. Clope pour certains. Je me suis offert un dernier coup de rouge… tout en inhalant discrètement quelques volutes émanant des cigarettes de mes voisins. Je suis, pour la première fois, volontairement victime de tabagisme passif. **Un vrai bonheur !**

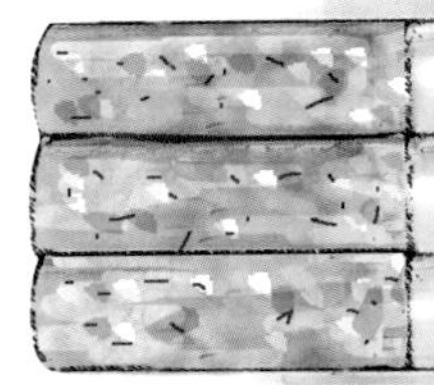

Very dangerous. Le tabac, c'est 5 % de la mortalité mondiale ; 10 % de celle de la France ; 20 % de celle des États-Unis.

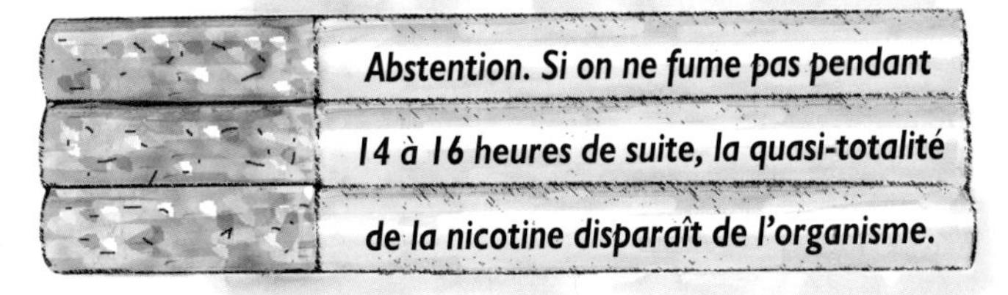

Abstention. Si on ne fume pas pendant 14 à 16 heures de suite, la quasi-totalité de la nicotine disparaît de l'organisme.

# Un ex-fumeur est un aventurier du XXIe siècle

Commençons par les remerciements. Cette initiative suscite nombre de réactions amicales et d'encouragements. De la part d'amis, mais aussi de connaissances, qui envoient des mails ou qui téléphonent pour encourager votre serviteur. Sans parler de membres de ma famille qui, hier soir encore, ne tarissaient pas d'éloges sur l'éclat de mon teint et ma mine reposée, bien que le sevrage ait, chez moi, tendance à compliquer les choses côté sommeil. De tout cœur (bientôt propre), merci ! C'est un vrai soutien. Continuez. Je ne vous cache pas que je me demande, par moments, si ces compliments ne sont pas un peu « forcés ». Destinés à conforter l'homme dans son entreprise lorsqu'il sent la motivation fléchir. Cela arrive. Mais n'a aucune importance. Ces mots doux renforcent l'idée qu'arrêter le tabac est l'une des grandes aventures de notre siècle. Oui, oui, n'ayons pas peur des mots. Comme un sportif

qui s'entraîne physiquement, se prépare tactiquement et se conditionne psychologiquement pour gagner, le fumeur en rédemption utilise les mêmes armes pour (essayer de) parvenir à ses fins… et vaincre. Notre civilisation a produit des aventuriers de toutes sortes, escaladant l'Himalaya, traversant les océans, et j'en passe. Elle a aussi inventé les aventuriers de la nicctine. Une erreur dont je suis. À ce « sport », les meilleurs passent de 3 paquets par jour, voire plus, à rien. Je suis petit bras : je pars de 30 cigarettes. L'entraîneur s'appelle médecin, il fait office de soigneur. La victoire n'est jamais totalement acquise. **Le périple est semé d'embûches.**

# 375 heures plus tard, je sens déjà bien meilleur, paraît-il

2 semaines. 360 heures. Allez ! Chaque jour sans tabac est encore vécu comme une victoire. Le combat ne laisse aucun répit. Il faut se contrôler, se concentrer, se motiver en permanence. Mais le sevrage commence à produire quelques effets encourageants. Exemples : l'impression de grande fatigue du matin après une soirée arrosée relève du mauvais souvenir. Je « pète le feu » dès le café ; dans mon cas, c'est un exploit. Plus de bouche pâteuse au lever. Ça aussi, c'est bien. Les cernes sous les yeux se font, paraît-il, moins visibles. « Ta peau est dix fois plus belle, tu sens bien meilleur, même des cheveux », commente ma femme. Tiens, elle ne m'avait jamais parlé du parfum de ma tignasse. Au dîner, ma progéniture confirme. Je perçois surtout les efforts de la famille lorsque la pression monte. En effet, l'ex-fumeur en manque devient vite irritable, injuste, excessif. Mais jamais très longtemps. C'est la bonne nouvelle (pour la famille).

***Automaticité. Le rythme de consommation de cigarettes d'un fumeur est déterminé par les variations du taux de nicotine dans son sang, dirigé par le cerveau automatique qui gère aussi le taux d'oxygène, de glucose ou la température du corps.***

# *No smoking*

Il est, en outre, le théâtre d'une véritable révolution côté odorat. Les effluves de blondes m'attirent encore. Je les piste. Mais il y a aussi les odeurs de la vie. Cette semaine, au bureau, j'en ai par exemple identifié une, hautement nauséabonde. J'ai passé un bon moment à tenter d'en trouver l'origine. Serait-ce Untel qui se néglige ? J'ai soupçonné, en silence, des collaborateurs ; et même mon associé. J'identifie désormais des odeurs que je ne percevais plus. Certaines dérangent ; d'autres renvoient à de bons souvenirs, comme l'herbe fraîchement coupée, une fleur de printemps ou le savant mélange essence-huile d'une pétrolette à moteur deux-temps. Les aliments ont eux aussi un autre goût. Et cela sans trop de conséquences sur la balance… je fais gaffe. Je commence à me dire que la somme des avantages d'une vie sans tabac justifie ces efforts. Même si une bouffée de fumée qui envahit délicieusement la bouche, attaque la trachée et descend jusqu'aux poumons avant de revenir négligemment par le nez reste une sensation à ranger dans la case plaisir. **On ne change pas ça en 15 jours.**

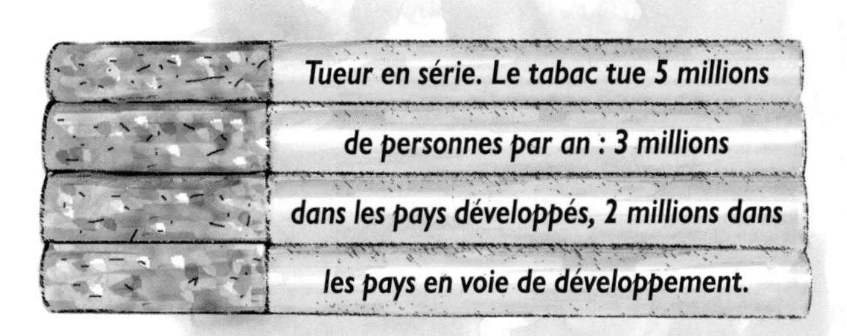

No smoking

Patch

# 420 cigarettes non fumées, ça use quand même

3 semaines à 1 paquet par jour, cela fait 420 cigarettes, soit environ 85 €. *Grosso modo* le prix de la première boîte de patchs. Je m'étais juré de tenir au minimum cette période. Histoire d'amortir cet « investissement ». Mais ne croyez pas que l'arrêt du tabac génère automatiquement des économies. Il faut se faire plaisir autrement : ce sont les soldes et ces 85 € ont été réinvestis en cadeau. D'ailleurs, je pense déjà au prochain.

# *No smoking*

Il me reste encore 8 patchs. Je finirai cette boîte… puis irai en acheter une autre, d'un dosage inférieur. Je ne compte pas du tout m'en tenir là, même si j'ai le sentiment d'entrer dans une phase nouvelle et délicate. L'arrêt devient en effet un non-événement. Il se banalise. Je suis désormais catalogué dans la famille des non-fumeurs, alors que l'envie, elle, me tenaille encore fortement par moments, *a fortiori* lorsque j'ai

oublié de poser le fameux patch. C'est arrivé avant-hier. J'ai, malgré tout, décidé de m'en passer… pour voir. J'ai souffert en silence. Les symptômes du manque étaient soudainement beaucoup plus forts. J'ai rencontré des difficultés pour me concentrer, me suis senti irascible, n'avais pas envie de travailler. J'ai même déprimé en fin

***Vrai.***

***Selon l'OMS, la cigarette est une drogue dure (Nicotine Addiction, 1988).***

de journée. Un drogué en manque. Cette perf. de nicotine collée sur ma peau m'est vraiment indispensable. Tout comme les cachets de magnésium conseillés par la charmante pharmacienne. **Un ami ex-fumeur m'a indiqué qu'il faut franchir le cap des 3 mois pour sortir de la zone dangereuse.**

# Mon mari, ce héros…

Pierre étant très occupé à ne pas penser au tabac, c'est moi, Sophie, sa femme, qui vous donne des nouvelles de mon ex-fumeur. Nous avions prévu de partir quelques jours en famille à l'issue du premier mois de sevrage. Un conseil donné par un ami médecin. Nous voilà donc à la campagne. Ce sont les vacances, et pourtant je ne me souviens pas d'avoir vu mon mari si mobile, voire agité, occupé à tondre la pelouse, à couper les haies, à courir après toutes sortes de balles (de golf, de tennis) et de ballons. Mais, comme diraient mes trois belles-sœurs bien intentionnées, du moment qu'il ne court pas après une blonde ! J'ai comme l'impression qu'il s'épuise pour ne pas trop penser à sa cigarette. Autre changement notable, il ne sait pas quoi faire de ses mains, donc il dévore, rôde dans la cuisine, propose même de faire les courses, avale des litres de Coca-Cola et me prend dans ses bras beaucoup plus souvent que d'habitude. Je lui suis vraiment reconnaissante de cet incroyable succès. C'est le héros du moment. Pour nous, par amour, il accomplit des prouesses. Ses cernes et son teint terreux ont presque disparu, il sent bon ; je passe mon temps à lui renifler les cheveux, c'est divin ! Toutefois, je dois avouer que, en ce qui concerne ses humeurs, je suis obligée de me contrôler. Il lui arrive de piquer des crises pour des motifs idiots ; et pourtant nous restons zen. Le mot d'ordre familial de l'été est : « glisse ». Nous devons « glisser » sur ses colères impromptues, ses remarques parfois déplacées… Glisser, glisser. Afficher un sourire serein et passer l'éponge. Il a besoin d'être entouré, félicité et encouragé. **Voilà notre façon à nous, sa famille, de participer à l'effort de guerre.**

# *No smoking*

# Ce qui me fait tenir ? Le nez !

50 jours. 1 500 cigarettes épargnées. C'est bien. Mais c'est rien : selon l'institut Marie Curie de Paris, réputé pour ses recherches sur le tabac, il faudra cent fois plus de temps, 5 400 jours et des poussières (15 ans !), pour que mes cellules retrouvent un état normal. Cela fait au moins un objectif à long terme, qui ne doit pas ternir le passage de ce premier cap symbolique. Mon cinquantenaire à moi…

Ceci m'inspire une réflexion immédiate : la vie de l'ex-fumeur est mal faite. La cigarette – fidèle compagnon du

stress pendant l'année, dont on arrive à se séparer tant bien que mal… – cette cigarette devient objet de tous les désirs durant les moments de détente, les week-ends et les vacances. Elle faisait intimement partie des moments de plaisir. Elle incarnait même ce plaisir. Il faut désormais apprendre à le prendre (le plaisir) sans elle. Faire un second deuil. Mon esprit avait, en effet, rayé la cigarette de la case « soupape de décompression à utiliser sans modération », voilà qu'il faut aussi supprimer la clope de la case « plaisir ». Ah, une longue bouffée au crépuscule devant une bonne bière, ou devant un verre de vin rosé à la fin d'un dîner excessivement long ! Les variantes sont multiples. Délicieuses à vivre. Je « regarde » plus les fumeurs qu'avant. Je les observe inspirer, expirer. J'ouvre

leurs paquets de blondes, rien que pour sentir. Mon entourage s'inquiète. Tout le monde s'arrête de respirer. Je hume longuement les filtres. Hmmm, c'est bon ! Je retrouve l'odeur des paquets volés à l'adolescence, fumés en un rien de temps et en bande. Exactement la même odeur. La mémoire olfactive est une notion de plus en plus réelle. Heureusement, cette balade odorante ne concerne pas que les filtres de blondes. Foin ou gazon coupés, fleurs, arbres, cuisine et huile de bronzage me renvoient aussi à l'enfance et me procurent d'agréables sensations, parfois même des frissons. Les odeurs agissent comme un album de photos qui défileraient sous mes yeux. Je tiens en fait avec le nez. Rien que pour cela, je ne reprendrai jamais. Fumer donne une illusion du plaisir. En réalité, la nicotine nous coupe du « vrai » monde, de celui que l'on sent. Si fumer rendait peu à peu aveugle au lieu de changer la donne de l'odorat, il y aurait beaucoup moins de fumeurs sur terre !
**Et arrêter serait, de fait, un jeu d'enfant.**

***Fourre-tout. On trouve de tout dans les cigarettes, y compris du cacao. Pourquoi ? Parce qu'il contient de la théobromine, qui dilate les bronches et permet une absorption plus rapide de la nicotine, qui arrive ainsi plus vite au cerveau.***

*No smoking*

3

# *No smoking*

**Le risque de cancer du côlon ou du rectum est multiplié par 1,9 pour ceux qui fument de 1 à 20 paquets de cigarettes par an, et de 3,9 au-delà de 20 paquets annuels.**

*No smoking*

# 2 mois sans fumer, je n'en dors pas

Le fumeur sevré le constate au fil des semaines : cette quête rend un peu parano. Les discussions tournent vite autour de ses préoccupations. Par exemple, votre serviteur croisant une vieille amie très au fait des questions de santé.

« Je suis content, je ne fume plus depuis 2 mois !

– Super ! Comment as-tu fait ? Patchs, calmants, les deux, rien ?

– Patchs pendant 1 mois, puis plus rien. C'est mon médecin qui m'a conseillé cette solution. C'est super efficace.

– Bravo. Pas trop énervé ? Pas trop grossi ?

– Énervé, je ne sais pas. Je ne crois pas. Ma petite famille ne donne pas l'impression d'être terrorisée et je ne m'engueule pas plus avec ma femme. Grossi, pas trop encore. J'ai pris 2 kilos, pour l'instant. En revanche, je dors super mal.

– Ah bon ? Mais as-tu pris quelque chose pour t'aider ?
– Non, je n'ai rien fait pour l'instant.
– Tu devrais. Tu as du mal à t'endormir ou ce sont des insomnies ?
– Les deux, mon général. Je me réveille systématiquement toutes les nuits vers 4 heures. Parfois je ne me rendors pas, ou je me réveille toutes les heures et je finis par me lever à l'aube. C'est très pénible et épuisant. Je suis crevé toute la journée. Et j'ai du mal à m'endormir aussi !
– Ouais. Tu te sens déprimé ?
– Non, pas du tout. Pourquoi ?
– Parce que ce type d'insomnie est caractéristique des gens un peu déprimés. Tu es sûr que le sevrage de la clope ne te tape pas sur le système ?
– Sans doute un peu, on ne passe pas de presque 2 paquets par jour à 0 cigarette sans qu'il y ait quelques dégâts collatéraux, j'imagine. Cela dit, je ne suis pas triste durant la journée, pas abattu, pas inactif.
– Tu devrais prendre du millepertuis. L'efficacité de cette plante est reconnue dans le traitement des états dépressifs, de l'anxiété, de l'agitation nerveuse. Essaie, tu verras si tu dors mieux. Et puis tu devrais retourner voir ton médecin.

– D'accord. J'en trouve où du millepertuis ? Je vais le cueillir à la campagne ?
– Idiot, c'est vendu en gélules dans toutes les pharmacies. »
Deux heures plus tard, me voici demandant une boîte de millepertuis à mon pharmacien.
« Quelque chose qui ne va pas ? m'interroge-t-il.
– Non, tout va bien. Je viens simplement d'arrêter de fumer.
– Ah, évidemment… Bon courage. »
**Cette nuit-là, j'ai dormi comme un bébé, d'une seule traite.**

# *No smoking*

# *No smoking*

*No smoking*

# Mon nom est Nico, je monte au cerveau en 7 secondes

Mon petit nom, c'est Nico. Nicotine pour l'état civil. Je suis une substance dangereuse. Une sorte de poison. Quand on m'aime et que l'on veut me quitter, on met du temps. On souffre. Je suis une garce tyrannique, égocentrique et hautement nocive, qui fait tout pour durer et ne jamais rester en rade. On se lève la nuit pour moi, Monsieur. On traverse la ville en pyjama. On paie le prix fort. Et physiologiquement, je coûte souvent très cher : genre cancer. J'aime… Je donne du plaisir pour

mieux me rendre indispensable. J'entre chez vous par la bouche, puis je pénètre profondément dans le sang dès que je le peux, par les capillaires des poumons, mais aussi au niveau des voies aéro-digestives telles que la bouche, le pharynx, le larynx ou l'œsophage. Orgie ! C'est bon ! Il me faut de 7 à 19 secondes pour arriver au cerveau. Là, je me fixe sur toutes sortes de récepteurs qui m'aiment. On les appelle les récepteurs nicotiniques. Comme des aires d'autoroute qui attireraient et retiendraient certaines voitures. Impossible de résister. Ils me voient, me sentent, hop, je suis dessus. Ils ne voient pas que je suis néfaste, je planque ma vraie nature pour mieux les leurrer. Mais le résultat est là : des études prouvent que la présence de ces récepteurs est augmentée de 50 % chez les fumeurs.

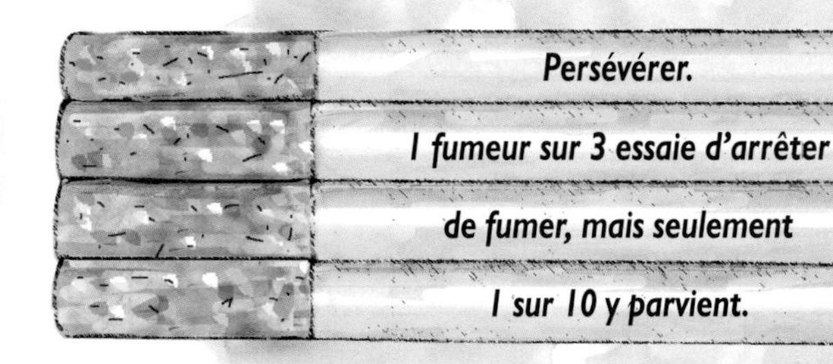

## *No smoking*

Lorsqu'on m'aime… Et là, je provoque un sentiment de bien-être véhiculé par une sorte de métro du cerveau qui s'appelle la dopamine. Résultat des courses : les fumeurs sont accros parce que je me balade bien dans leur corps à partir du cerveau. Et ils me demandent souvent parce que, au bout de 2 heures, 50 % de ce qu'ils ont ingurgité de Nico ont disparu. « Eh, oh ! il faut refaire les niveaux de Nico ! » Alors ils reprennent une cigarette, et ainsi de suite. Tout cela pour quoi ? Pour se remettre à un niveau de Nico que j'ai artificiellement monté. Voilà comment le système de dépendance est créé. Je fais croire que l'on a furieusement besoin de moi, comme on a besoin de respirer, de boire ou de manger, mais c'est to-ta-le-ment faux ! Chez Nico, tout est faux ! Sauf la dépendance. Je suis une imposture dont on se débarrasse difficilement. D'où mon succès et ma longévité. Vu ? Cela dit, soyons humble et modeste : je ne suis que l'une des 4 000 substances contenues dans la cigarette. Mais qu'est-ce que je fais mal ! Je diminue sensiblement le calibre des artères ; je nuis donc à l'oxygénation des tissus. Le cœur de mes clients inconditionnels consomme plus d'oxygène que les autres, et il bat plus vite. Je suis une garce. Ils le savent mais ils s'en foutent. **Alors je continue. Un bonheur.**

***De l'aide !***

***95 % des tentatives d'arrêt sans soutien médical se soldent par un échec avant un an.***

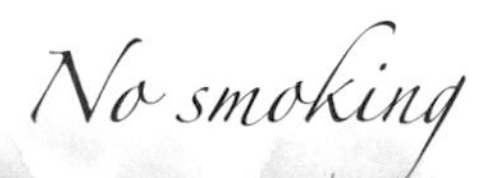


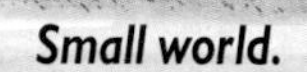

**Small world.**

**Les fumeurs : 1,1 milliard**

**dans le monde aujourd'hui ;**

**1,7 en 2029.**

# *No smoking*

# 100 jours, soit 3 mois et quelques plus tard

Il y a 100 jours, j'arrêtais de fumer. Pour l'instant, j'ai réussi. Pas le moindre petit mégot depuis ce jeudi fatidique barré d'un trait rouge dans mon agenda : « plus de clope ». Fini. Pour toujours.
Au début, je ne croyais pas à cette idée. Je n'étais pas certain d'y arriver. J'ai d'abord tenu parce que la décision avait été prise, que les patchs collés sur mon épaule m'alimentaient en nicotine, que l'objectif se concentrait sur le court terme (tenir une matinée, assumer après le déjeuner, oublier l'après-midi, compenser le soir). La victoire était quotidienne. Omniprésente. Envahissante. Cela n'a pas empêché les envies irrépressibles, mais je n'ai jamais eu à lutter contre le désir de prendre une cigarette et de l'allumer. Comprenez la nuance. Je n'ai jamais été jusqu'à me dire : « Tant pis, j'en allume une. » Je suis, à chaque fois, parvenu à faire diversion avant d'en arriver à cet extrême… à mon grand étonnement. Est-ce parce que j'ai assez vite essayé de relativiser en

faisant de cette décision un « non-événement » ? Je ne sais. Mon entourage, lui, s'est parfois rendu compte que quelque chose avait changé. On ne saurait nier, au bureau comme chez soi, l'irritabilité de l'ex-fumeur. Si j'en crois les commentaires, ce ne fut pas insupportable. Moins que prévu. Le plus dur fut finalement l'attaque de la sixième semaine. Le moment où la normalité s'installe. Il est devenu logique de ne plus vous voir fumer. Inutile, donc, de vous faire savoir à quel point c'est agréable. Le soutien s'allège. Alors qu'on en a encore besoin. On souffre. Cela n'a pas duré longtemps : 15 jours tout au plus. J'ai pris du millepertuis. C'est passé. Puis

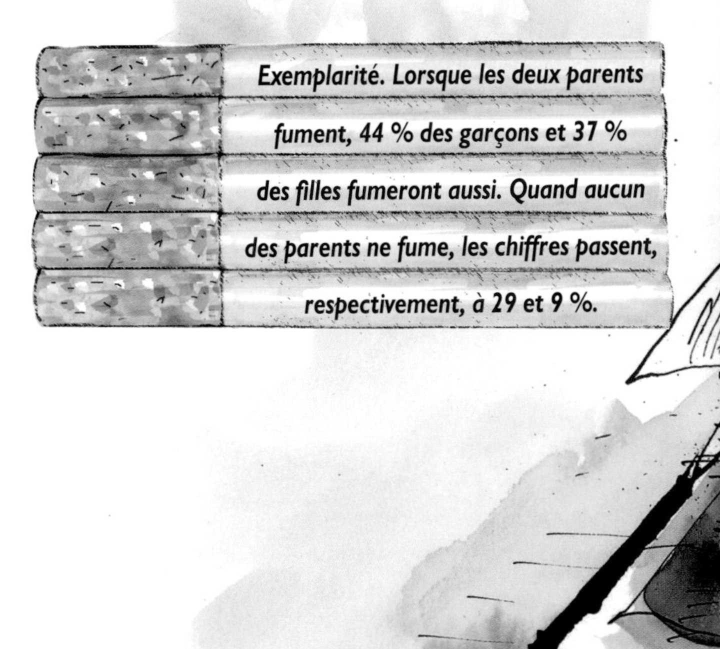

un sentiment de fierté m'a peu à peu envahi. Eh, oh ! Je tiens. Fumer semble désormais vain. Le sevrage a demandé tellement d'efforts que pour rien au monde je ne recommencerais. Même si les ex-fumeurs ont encore envie pendant des années, j'arriverai à contrôler ces pulsions. Les kilos ? 3 de plus. Je les perdrai. Je suis passé de l'autre côté. J'en suis fier. Au bureau, en cette rentrée, deux collaborateurs ont, eux aussi, décidé d'arrêter. Je leur souhaite de tout cœur d'y parvenir. Ainsi qu'à tous ceux qui se promettent de le faire bientôt. Vous ne pouvez pas savoir à quel point on se sent mieux. C'est sans doute l'effet le moins descriptible de cette aventure. Mais le plus important.

5

# + 5 kilos au compteur : comment je gère mon problème de garde-robe

Au début, on se dit que ce n'est pas grave. Que « tout ça rentrera dans l'ordre » tout seul. Sans avoir à y penser ni fournir d'effort. Vin, bière, steak-frites, hamburgers, *snacking*, grignotage et fromage à gogo : surtout, surtout ne pas changer de régime. Ne comptez pas sur les commentaires des autres, amis compris, pour dissiper les doutes.

« Merde, j'ai grossi !
– Pas du tout !
– Je ne rentre plus dans mes "falzars".
– C'est incroyable, ça ne se voit pas du tout ! »

Le dialogue ressemble furieusement à un extrait soft de *Sex and the City.*

# *No smoking*

Il faudra vous y faire. Les hommes, dans ces cas-là, sont aussi primaires et pleutres que les dames. Ils cherchent les mêmes fausses raisons pour expliquer l'évidence. Un pantalon trop petit a d'abord rétréci au lavage, au séchage (marre de ces sèche-linge qui bousillent tout), au pressing ; ou il souffre d'un grave problème d'étoffe, voire de coupe. C'est le contenant qui ne va pas. Certainement pas le contenu (vous). Puis, la réalité s'impose.
Il est des signes qui ne trompent pas. Chez votre serviteur, par exemple, des bourrelets se forment lorsque je suis assis. En particulier le matin au bord de mon lit ou sur une chaise. Des moments idéaux pour se jauger. L'intimité est à son comble. Personne pour

regarder, pour commenter. Contractant les quelques abdominaux que je possède, je mesure alors le(s) bourrelet(s) de mon ventre entre le pouce et l'index de ma main gauche (je suis gaucher). Lorsque tout va bien, l'espace séparant l'un de l'autre n'excède pas 2 ou 3 centimètres. En cas de surpoids, on arrive facilement au triple, avec un net débordement sur les côtés. Horreur. Je réitère alors le geste à plusieurs reprises, mais je peux difficilement me raconter des histoires… Au fur et à mesure que le sevrage avance, la distance qui sépare les deux doigts augmente… De quelques millimètres, certes, mais à l'arrivée, ce sont bien 5 kilos de pris. L'autre signe se situe sur les cuisses. En haut des cuisses, très précisément. La surcharge pondérale se loge aussi là. Elles se touchent, désormais. Une sensation détestable. Ajoutée à la formation des bourrelets (l'un ne va évidemment pas sans l'autre), cela fait beaucoup. Force est, d'ailleurs, d'admettre qu'un pantalon acheté « à la bonne taille » devient rapidement un peu court, juste un peu, dès que quelques kilos apparaissent. Sans parler des cols de chemise, des vestes, des ceintures, cela va même jusqu'au bracelet de montre qu'il faut adapter. Les pilotes de voitures de sport qui utilisent des harnais de sécurité ajustés au plus près, et non des ceintures à enrouleur, savent de quoi je parle : le moindre centimètre « gagné » en volume énerve. En 4 mois de sevrage, j'ai donc 5 bons kilos de plus à mon actif. Que faire ? Un Premier ministre français (Raymond Barre) et un Chancelier allemand (Helmut Khöl) avaient deux garde-robes à leur disposition, pour s'adapter aux périodes pré et postcures d'amaigrissement. Pas moi. D'abord, il faut se dire que cette surcharge passagère, c'est pour la

bonne cause. Voilà de bons kilos. Ils étaient prévus et inévitables. D'ailleurs, on me l'avait dit.
Le docteur G. m'a donné 3 mois pour les perdre. Et quelques conseils avisés : arrêter totalement l'alcool pendant un mois, c'est l'assurance d'en perdre déjà deux. Plus de fromage, sauf au petit déjeuner. Rien, par pitié, entre les repas. Surtout pas de cacahuètes, pistaches, noisettes et autres petites choses délicieuses avant de déjeuner ou de dîner, c'est mortel. Du sport, si possible, à raison de 2 séances par semaine. Et, idéalement,

un footing quotidien. Voilà ! Facile à dire. Tout cela en supportant les petites déceptions matinales et quotidiennes qui nous font un peu mieux comprendre la psychologie féminine. Oui, se sentir « juste » dans un vêtement le matin peut mettre de mauvaise humeur, voire rendre triste, pour la journée. Non, ce n'est pas insurmontable. L'arrêt de la cigarette m'a tellement fait mûrir et réfléchir sur la quête du bien-être que l'effort à déployer pour perdre ces quelques kilos ne me paraît pas démesuré à côté de la bataille antitabac que je viens de remporter. Je me suis libéré de la nicotine. Je vais faire la même chose avec ces bourrelets. Arrêter de fumer revient à faire une cure permanente de positivisme. C'est bien plus qu'un acte isolé contre la nicotine. Tant pis si je les garde, ces kilos. **Ma femme dit que cela ne la dérange pas... et je n'ai pas de maîtresse à séduire.**

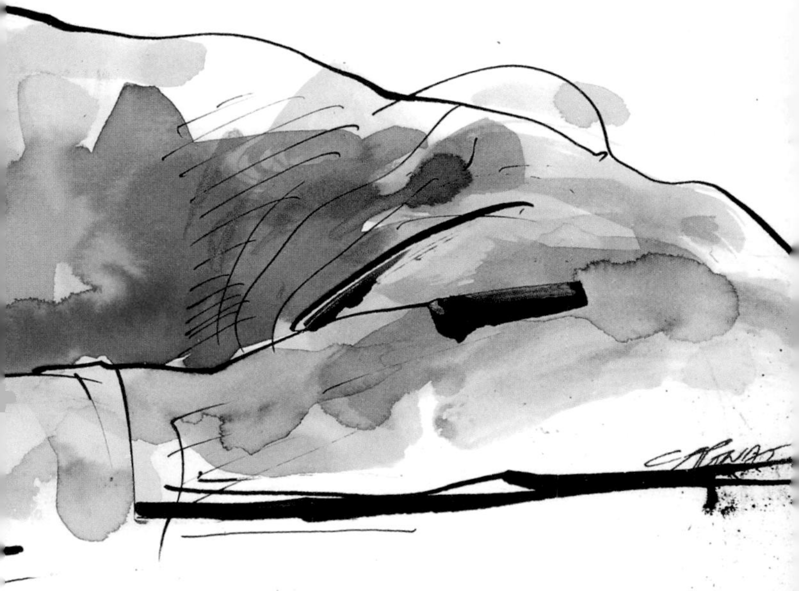

*No smoking*

# Vertus d'un week-end vinicole :

# *No smoking*

## La redécouverte du goût (et de l'odeur de MTCA)

Un ami, grand amateur de pipes et de cigares, fête ses 40 ans en Bourgogne, grande région viticole de France. Une bonne idée de sa femme qui a convié quelques couples. Au programme : deux jours de dégustation du côté de la ville de Beaune. Je ne connais pas grand-

chose aux vins. Je sais bien les boire, éventuellement distinguer un bordeaux d'un bourgogne (justement), mais sans doute pas un bourgogne d'un vin de Loire. Désolé. La vie m'a gratifié de quelques moments exceptionnels de ce côté, en famille, avec mes frères, ou dans des circonstances professionnelles. J'ai goûté de très grandes choses et les ai appréciées – manifestement pas à leur juste valeur. On dit pourtant que les œnologues fumeurs (et autres amateurs de vin éclairés) sollicitent leur mémoire olfactive, ce qui leur permet d'exercer leur métier, malgré les effets de la cigarette. Je me croyais capable d'apprécier une grande bouteille. Je m'imaginais doté d'un appareil de goût syndical. J'étais un handicapé de la papille et du nez.

*No smoking*

Proportion. En 2000, en France, on comptait, parmi les personnes atteintes d'un cancer du poumon, 52,5 % de fumeurs, 40,3 % d'ex-fumeurs et 7,2 % de non-fumeurs (KBP, 2000). Le cancer du poumon tue chaque année 19 000 hommes et 1 900 femmes.

# *No smoking*

Déguster du vin signifie, en Bourgogne, descendre dans un caveau. Il faisait juste chaud. La belle-fille du propriétaire nous a pris en charge. Cours de dégustation. Faire tourner lentement le verre. Mettre le nez. Fermer les yeux et ne se concentrer que sur ses narines. Recommencer. Faire comme les autres, c'est-à-dire regarder la robe à la lumière. Remettre le nez. Boire. Pouitch, pouitch. Le vin passe d'un côté à l'autre de la bouche. Léger gargarisme. Et j'avale. Non, non, on ne recrache pas. Pas aujourd'hui. Au fur et à mesure que les millésimes défilent, je sens, je perçois des choses inconnues jusqu'alors. J'arrive à capter un arôme comme jamais, à décomposer ce que je sens. L'évolution et la structure du goût deviennent palpables. Les expressions techniques (« Et là, la longueur en bouche, vous sentez ? ») veulent dire quelque chose, alors qu'elles ne signifiaient rien auparavant. Ce qui n'est, au départ, qu'une agréable sensation attribuée à la qualité du vin dégusté devient assez rapidement une révélation. Parce que, tout de même, on voit bien ce que l'on boit. Du bon bourgogne ce jour-là, mais pas de l'illustre. L'explication est donc ailleurs.

Il s'est passé quelque chose, là, dans cette cave. Il y a un avant et un après. J'ai déjà vécu cela une fois dans ma vie, une seule. J'avais 12 ans, j'étais en composition orale d'anglais. J'étais un élève très moyen jusqu'alors et,

**La fonction respiratoire des fumeurs est réduite de 60 % chez une personne de 50 ans qui fume 20 cigarettes par jour depuis 30 ans. La bronchite chronique touche 50 % de ces derniers.**

# *No smoking*

pour une fois, j'avais vraiment bien appris mes leçons. J'écoutais un élève interrogé. Alors qu'il récitait, un déclic s'est produit en moi. Tout est d'un coup devenu facile, évident. Quelques minutes plus tard, lorsque le professeur m'a m'interrogé, il n'en a pas cru ses oreilles. Stupéfaction. J'étais devenu bon. Félicitations. Voilà. Et, depuis, je n'ai plus aucune difficulté en anglais. Ce déclic s'est reproduit en Bourgogne. Différemment.
Je reconnais humblement avoir très correctement travaillé le lever de coude ces dix dernières années avec toutes sortes de breuvages de qualités très inégales. Mais je n'en demandais pas tant. C'est comme si un film plastique avait tapissé mon palais et mes narines depuis des années, et que l'on me l'avait retiré d'un coup. Incroyable, mais vrai. Je me suis alors concentré

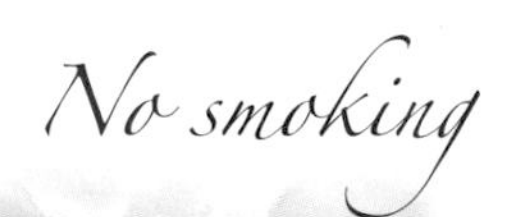


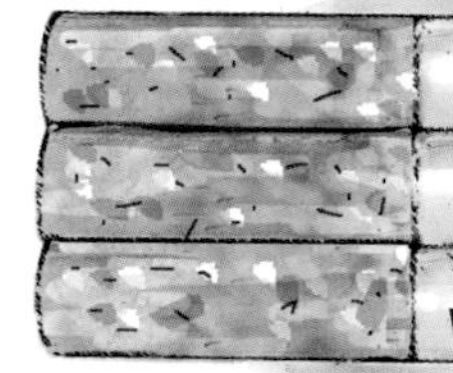

**Au-delà de 15 cigarettes par jour, le tabac est le deuxième facteur de vieillissement de la peau, après le soleil.**

sur le nez plus que sur les impressions en bouche pour m'assurer que l'excès d'alcool ne constituait pas la cause réelle et sérieuse de cette impression. Non. Vérification à l'apéritif, puis au dîner. Le vin humait comme jamais. Ce fut un week-end de (re) découverte complète. Voulant mener l'expérience de bout en bout, je me suis dit qu'il fallait essayer de (re) trouver autant de repères olfactifs que possible. Rien de mieux que MTCA (mon très cher amour) pour cela. Je pose mon nez dans sa nuque et ferme les yeux. Promis-juré, même effet. Des senteurs oubliées reviennent. Je perçois des « morceaux d'odeurs » (si, si !) de nos enfants. Puis, pas un jour ne passe sans que cette sensation ne m'envahisse.
Tout devient matière à mémoire olfactive.
Un pan entier de ma vie refait surface grâce au nez. Fabuleux.
Et la cigarette peut aller se faire voir ailleurs !

# J'ai envie que ceux que j'aime s'arrêtent aussi… ou qu'ils ne commencent jamais

Chers Capucine, Félicie, Violette, Gaspard, Nicolas, Chloé, Arthur, Jules, Jeanne, Éléa, Joséphine, Laetitia, Eugénie, Louise,
Chers enfants, nièces et neveux,
Vous avez entre 1 et 14 ans. Vous êtes ceux que j'aime le plus et qui ne devraient jamais commencer. À l'âge du plus grand, je fumais déjà une cigarette tous les jours après le déjeuner et une autre à la sortie des cours – peut-être même deux. Des blondes fortes ou des brunes sans filtre, selon ce qui était disponible dans les poches des uns et des autres – les paquets de mes

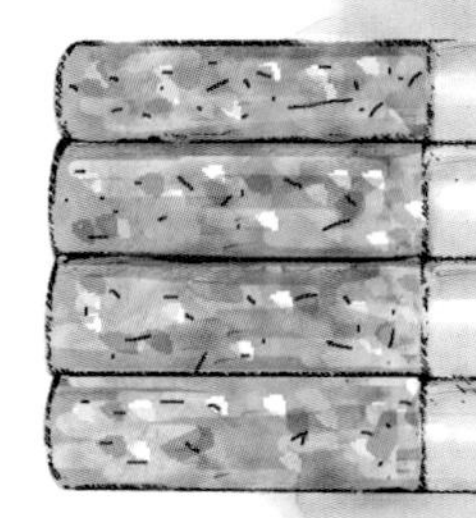

**50 % des fumeurs mourront du tabac de manière prématurée. 25 % des fumeurs n'atteindront pas l'âge de la retraite.**

parents ou amis. Le soir, après le dîner, à défaut de cigarette, j'empruntais une pipe de mon père, 10 minutes montre en main, le temps d'aller ranger ma Mobylette au garage et de tirer quelques taffes. J'avais parfois la mauvaise surprise de sentir dans la bouche un jus de nicotine pure, lorsque l'outil n'était pas bien nettoyé. Même pas écœuré… Désespérant, quand on y pense. Au retour, et vu l'haleine, éviter le baiser du bonsoir devenait

# *No smoking*

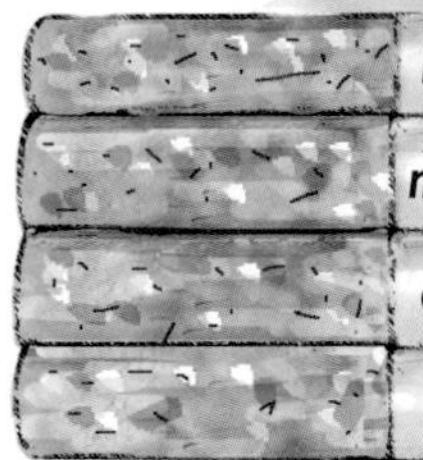

**Femmes en danger. Vu l'augmentation du nombre de fumeuses, le nombre de cancer du poumon chez la femme sera supérieur à celui du cancer du sein en 2025.**

une priorité absolue. Quand vous atteignez un certain âge, dites-vous que, chaque fois que vous dites bonsoir, ce type de vérification devient automatique pour les parents. Gaffe !

J'avais commencé à fumer à l'âge de 12 ans en subtilisant des cigarettes à la maison, fumées à la va-vite, immédiatement suivies d'une bonne dose de chocolat et de chewing-gums à la menthe. Mes parents tiraient sur des brunes. Ma mère a arrêté de fumer au moment où je démarrais. Je lui ai finalement subtilisé plus de pièces de monnaie que de paquets de cigarettes… Désolé. J'ai donc grandi dans un univers de fumeur, ce qui, selon les spécialistes, constitue un handicap certain.

Existe-t-il une méthode infaillible pour que nos progénitures n'essaient jamais ? Les fabricants de tabac l'auraient achetée cher et planquée.

## *No smoking*

Les enfants, épargnez-vous (et nous) ce supplice. Fumer, c'est cher, tellement cher qu'il vaut bien mieux investir dans un autre plaisir. Un vrai : un CD, un film, un jean, une paire de chaussures, un voyage. Ne faites pas cet honneur aux clopes et à ceux qui les fabriquent. Considérez-les en bloc comme un adversaire, un ennemi intime. Vous avez déjà fumé ? C'est dégueulasse,

***Cancer. 36 % des cancers chez les hommes et 4 % chez les femmes sont dus au tabac.***

non ? Les premières bouffées sont forcément mauvaises. D'ailleurs, vous n'avez pas réussi à avaler la fumée… et ne réussirez jamais (puisque vous ne fumerez pas). Dites-vous que ce machin, à l'extrême, c'est aussi grave que les autres drogues, puisque cela vous met, à terme, en danger de mort. Vous avez 11, 12, 14 ans ? Avez-vous eu besoin de cigarettes pour réviser vos devoirs jusqu'à maintenant ? Non. Avez-vous eu besoin de cigarettes après le déjeuner ou le dîner ? Non. Avez-vous eu besoin de ça pour « la ramener » devant les autres ? Eh, oh ! Vous n'avez pas besoin de ça ! Alors ? La grande différence entre vous et nous, c'est le niveau d'information. À notre époque, on ne savait pas tout. Les connaissances médicales étaient loin d'être ce qu'elles sont aujourd'hui. Le tabac étant devenu l'ennemi public numéro 1, vous pouvez tous les jours mesurer à quel point il est nocif. Ne vous laissez pas influencer comme nous l'avons été. N'en devenez pas victimes. Ne soyez pas faibles. Refusez les manipulations. Vous êtes les consommateurs les plus durs, les plus exigeants, les plus avertis de notre société, loin devant les seniors, les adultes, les kidults… Vous savez tout d'un produit, d'une marque ou d'une mode, lorsqu'elle réussit à vous conquérir. Faites l'inverse avec la clope. Voyez le mal qu'elle cause. Mettez de la volonté, de la persévérance et de la curiosité dans cette quête. La vie vous le rendra au centuple.

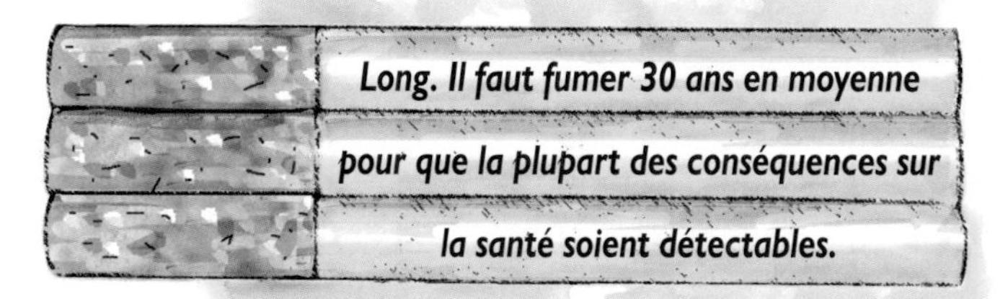

# *No smoking*

# *No smoking*

Il y en a aussi qui devraient s'arrêter. Ils se reconnaîtront : la quarantaine, travailleurs, gâtés par la vie. L'un d'eux est mon frère, troisième sur quatre. La fratrie était fumeuse à 75 %. Le taux est passé à 25 % en 6 mois : deux ont arrêté. Pas mal. Le troisième et sa femme, toujours pas. On ne va pas les y obliger. On leur dit juste qu'on tient à eux et que, vu les statistiques, il est permis de parier que l'un des quatre chopera malheureusement « quelque chose ». Il faut 15 ans pour faire diminuer le risque de cancer du poumon de 50 %. Mais, bonne nouvelle, les cellules précancéreuses sont remplacées par des cellules saines au bout de 10 ans. Plus vite on arrête, plus le risque s'éloigne. Message personnel : quand on a mis la volonté que vous avez su déployer, 15 ans durant, dans les projets que vous avez réussi à développer, on a la force d'arrêter de fumer. **Vous attendez quoi ?**

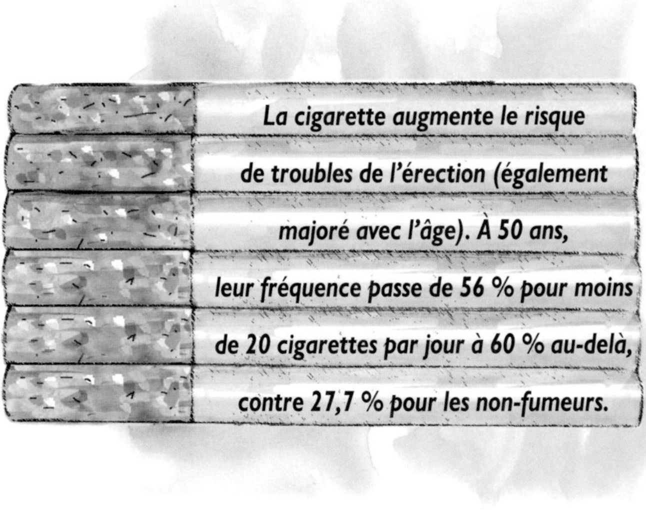

***La cigarette augmente le risque de troubles de l'érection (également majoré avec l'âge). À 50 ans, leur fréquence passe de 56 % pour moins de 20 cigarettes par jour à 60 % au-delà, contre 27,7 % pour les non-fumeurs.***

# No smoking

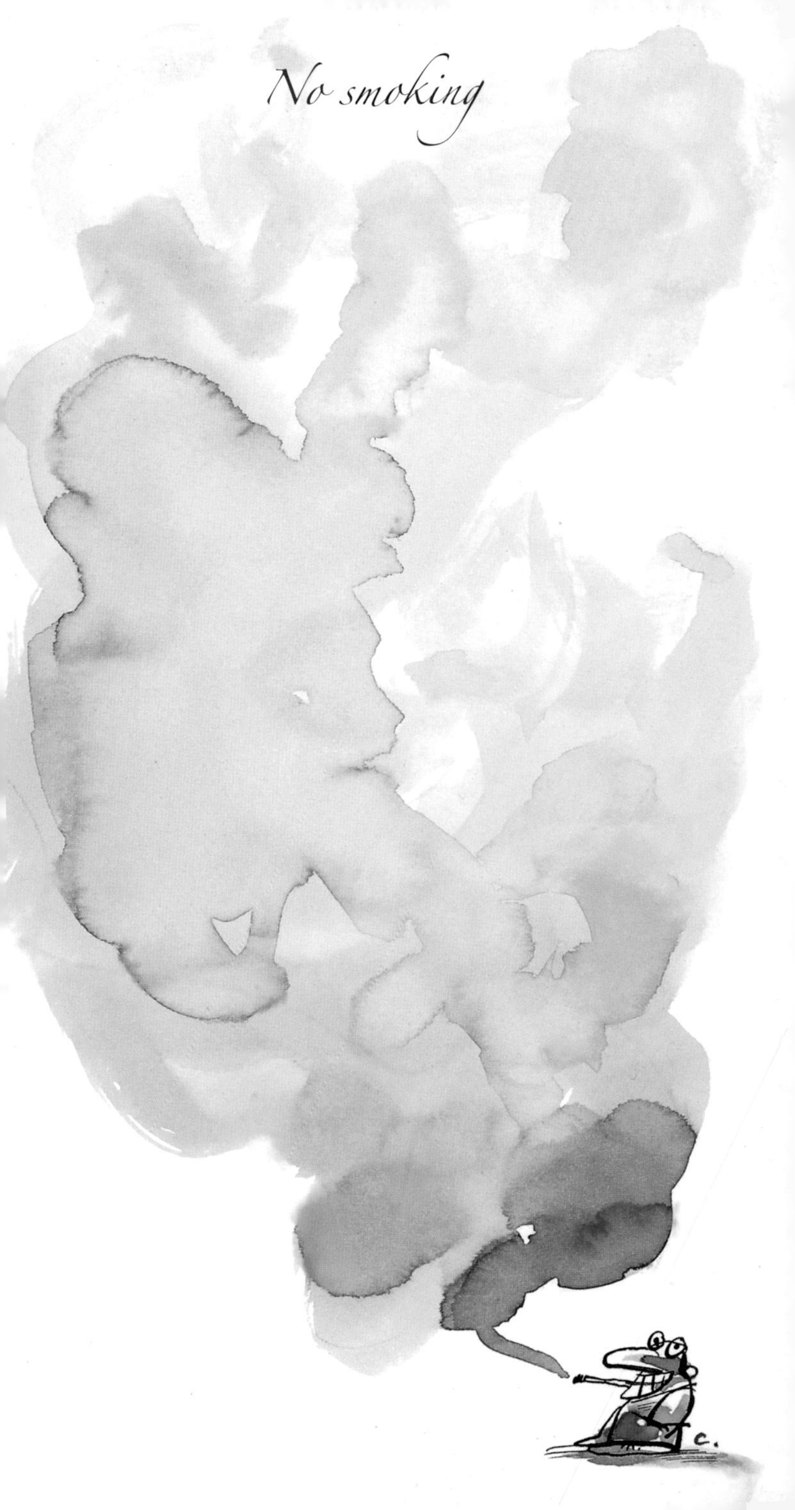

# Qu'est-ce que j'y gagne ? Temps, argent, autres. Et comment je m'autofélicite

Financièrement, on gagne l'équivalent de 1 ou 2 paquets par jour. Vu l'inflation en la matière, l'addition monte vite. On se dit que cet argent, on va le consacrer à autre chose « de bon ». Premier leurre qui a, cependant, l'immense mérite de pouvoir être considéré comme une motivation.
La cigarette est chère ? Oui. Arrêter de fumer permet de réaliser des économies ? Non, pas au début. Le sevrage est un traitement assez onéreux, dont le prix a, apparemment, été mûrement réfléchi. Un mois de patchs vaut, à peu de choses près, un mois de cigarettes. Bel hasard ! Les quelque 100 €, minimum, que je pensais ne pas faire partir en fumée le premier mois ont donc pris la forme d'autocollants à appliquer chaque jour sur le bras, les épaules – un endroit différent chaque jour, s'il vous plaît. Et pour les économies, revenez au deuxième mois, merci. On passe donc quelques semaines à rêver de cigarettes que l'on s'est juré de ne plus fumer ; on claque le budget clopes en patchs et on se fait des cadeaux pour oublier. Indispensable ! Il faut fêter l'événement autant que nécessaire. Le premier jour. Le deuxième. Chez soi et au bureau, avec ses potes, les amies de votre femme, les amis de vos amis.
Qui vous voulez. Toutes les raisons sont bonnes.
Première semaine : une chemise ! Deuxième : un costume ! « Une affaire incroyable, chérie, des soldes comme on n'en voit plus. »

# *No smoking*

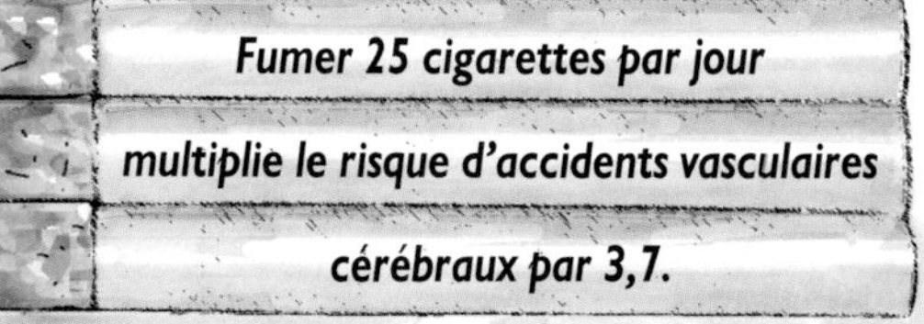
Fumer 25 cigarettes par jour
multiplie le risque d'accidents vasculaires
cérébraux par 3,7.

# *No smoking*

Troisième semaine : l'arrêt prend le caractère de non-événement que l'on s'évertue à essayer de lui donner. On fait les comptes… et on se calme. Raisonnement à froid. Ne pas fumer, c'est ne plus avoir besoin de monnaie pour acheter ses cigarettes ; c'est éviter toute tentation susceptible de donner trop envie. J'ai radicalement changé mes habitudes matinales. Je m'arrêtais pour les journaux, le café, l'achat éventuel d'un paquet. Fini. Je gagne du temps en déplacement.

# No smoking

Je le récupère en loisirs. Je tire deux à trois fois moins d'espèces qu'avant au distributeur de billets. L'ex-fumeur devient ainsi, sans le vouloir, le radin de service qui n'a jamais un rond sur lui. Tous les moyens sont bons pour y arriver, n'est-ce pas ? Celui-là, comme les autres.
Le sevré a parfois une petite tendance à la bière ou au « coup de rouge » à l'apéro. Mais quittant un phénomène de dépendance et ne voulant pas replonger tout de suite, il évite ces écarts de fin de journée. C'est de l'autofélicitation dangereuse.

# *No smoking*

« Bon, juste un et j'y vais. On m'attend. » Ce refrain, il le connaît. Avant, c'était : « Allez, une dernière avant de… » Et bien souvent, c'était les deux… D'ailleurs, le pourcentage d'ex-fumeurs devenant alcooliques est infinitésimal. Bien souvent, ils souffraient déjà des deux maux.

Dès le deuxième mois, je me motive en pensant aux sommes mises de côté. J'ai arrêté le patch, le poste tabac n'existe plus. 150 € à claquer chaque mois. Un plaisir assuré. Je me suis offert des cours de golf. J'avais débuté ce sport quelques années auparavant, pas très sérieusement. J'ai fait de cette « reprise » un objectif compensateur. Une source potentielle de plaisir.

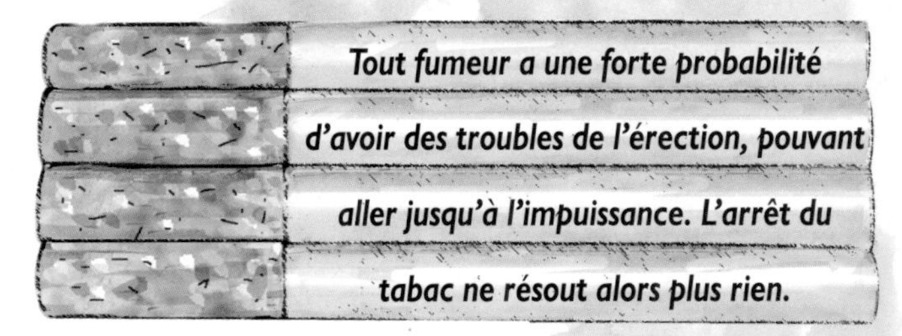

# *No smoking*

**55 % des hommes**
**qui s'arrêtent prennent au moins**
**3 kilos.**

J'arrête de fumer mais je deviens bon en golf. Je me suis simplement trompé de sport. Le golf est d'une technicité, d'une complexité… Il demande une telle régularité, une telle application que le joueur s'étant fixé des objectifs devient vite *addict*, il ne pense qu'à cela. Et ce, au détriment parfois de fondamentaux tels que la famille, puisqu'on peut avoir à mobiliser une demi-journée entière pour une partie de golf. L'argument selon lequel un effort familial doit être fourni, compte tenu des circonstances, tient 2 mois.
« Ouais, enfin, pendant ce temps, je n'ai pas fumé.
– C'est ça. Merci. Et on arrête de le vénérer quand, l'ex-fumeur ? Elle commence à avoir bon dos, ta non-clope. »
Pas faux. Ne pas exagérer, les amis. Ne plus tirer sur la clope ne veut pas dire qu'on peut tirer sur la corde. S'autoriser quelques plaisirs ne signifie pas agir au détriment de ses proches. J'ai parfois eu tendance à négliger cette équation fondamentale, pensant que le sevrage constituait un passe-droit absolu autorisant tous les excès. Non. Il y a des limites à tout, même à l'auto-félicitation.

# *No smoking*

**Après 5 ans de sevrage, le risque de développer un cancer de la bouche, de la gorge, de l'œsophage ou de la vessie diminue de 50 %.**

# *No smoking*

**Au bout de 12 ans de sevrage, le risque de maladie coronarienne redevient identique à celui d'une personne qui n'a jamais fumé.**

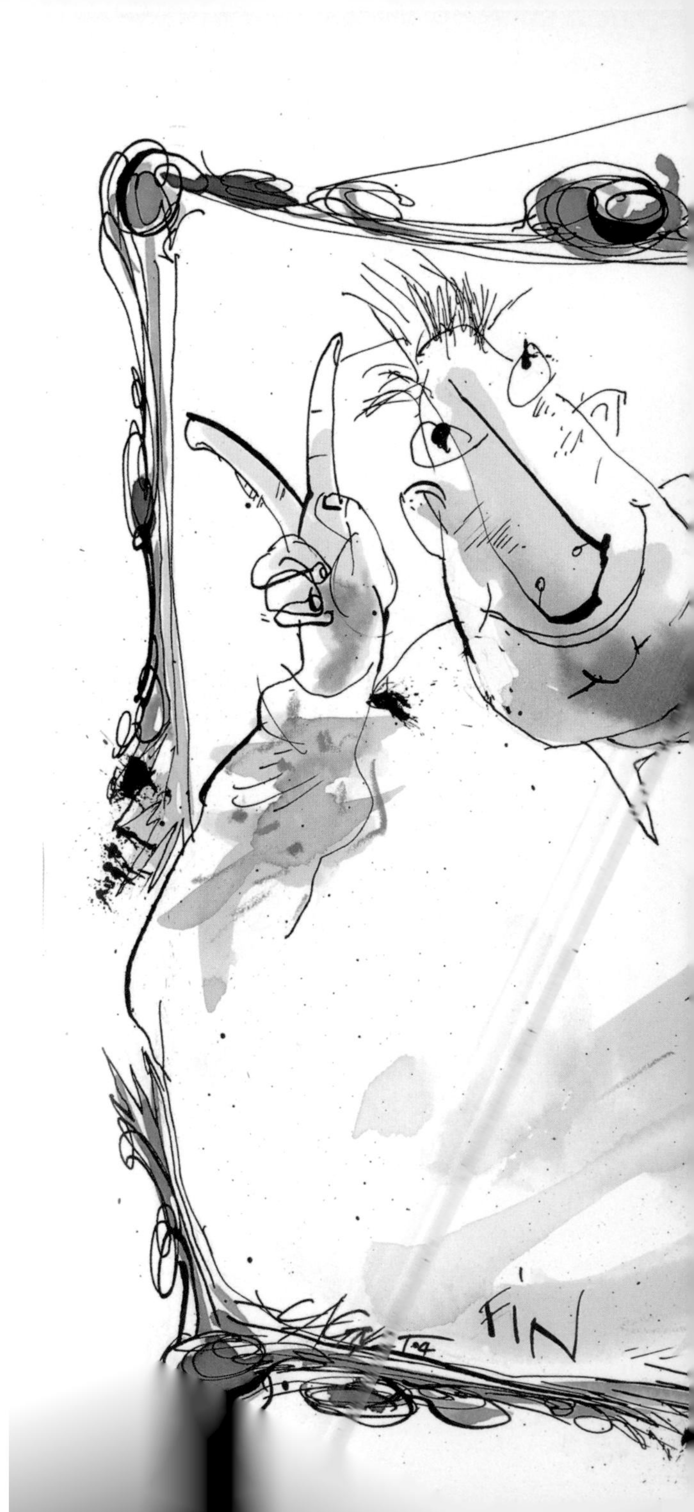
FIN

# 6 mois plus tard : li-bé-ré !

Quelques jours après avoir arrêté, je me suis dit que je recommencerai à fumer à 75 ans. C'est trop bon. Une cigarette, c'est pourtant 11 minutes de vie en moins, disent les scientifiques. À 40 ans, le chiffre fait son effet, *a fortiori* lorsqu'on a de jeunes enfants. Mais à 75 piges ? Reprendre la cigarette au crépuscule de sa vie et du coup l'écourter de 3 heures chaque jour, qu'est-ce que cela change ? Un mois et demi par an : ce n'est rien. Mauvais calcul.
Au début, j'ai arrêté contraint et forcé. La médecine, ma famille et la société m'avaient convaincu que c'était mieux ainsi. Au plus profond de moi, je restais accro. Je me disais que c'était pour mieux recommencer un jour.

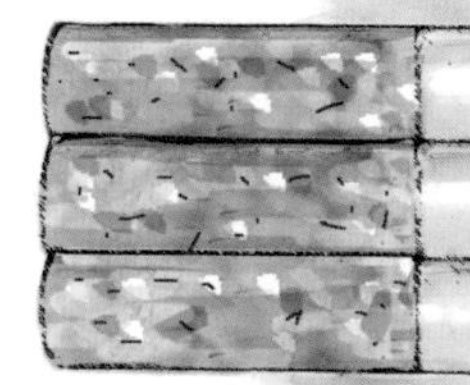

**Le risque d'impuissance est multiplié par 26 chez les fumeurs ayant une hypertension artérielle.**

## *No smoking*

**Le tabac est responsable de 90 %**
**des artérites qui surviennent avant**
**l'âge de 65 ans.**

# *No smoking*

# *No smoking*

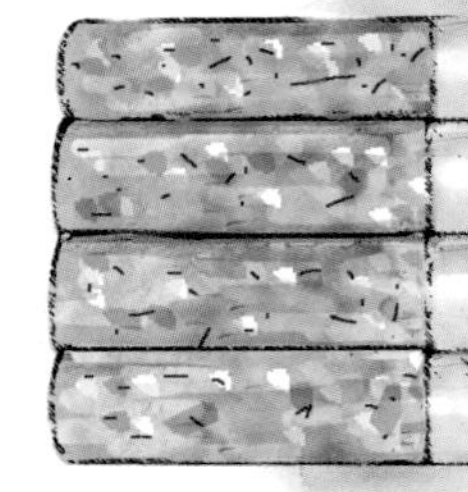

**Sur les 10 minutes environ que dure la combustion d'une cigarette, la durée totale d'inhalation de la fumée par le fumeur ne dure que 30 secondes.**

Viscéralement attaché aux moments de plaisir associés au tabac, j'y songeais tout le temps. Du lever au coucher. Avalant parfois la fumée à blanc. Je refusais de renoncer à ce que je considérais comme un plaisir. Un vrai. À de nombreuses reprises, j'ai regretté ma décision, mais je n'ai jamais frôlé la rechute. J'étais médicalement suivi par un médecin, soutenu par un patch et psychologiquement préparé, entouré. J'étais paré. Mais je me plantais. Arrêter de fumer, c'est en réalité un retour à la normale maquillé en D-day. Un non-événement, voilà la clé. Il faut absolument arriver à transformer cet « anniversaire » en non-anniversaire, à se satisfaire du vide, à faire sans. Dans la joie et la bonne humeur. 6 mois après, je suis franchement heureux. Heureux avant tout. Content de moi. Le score : nicotine : 0 – Pierre (moi) : 3. Heureux d'avoir tenu, d'avoir réussi à tirer un trait définitif là-dessus. Cette conviction se forge peu à peu. Elle s'impose d'abord parce qu'il faut passer par une telle souffrance pour arriver à se sevrer que l'on n'a pas envie de la revivre. Trop d'efforts. Repartir en arrière ? Non.

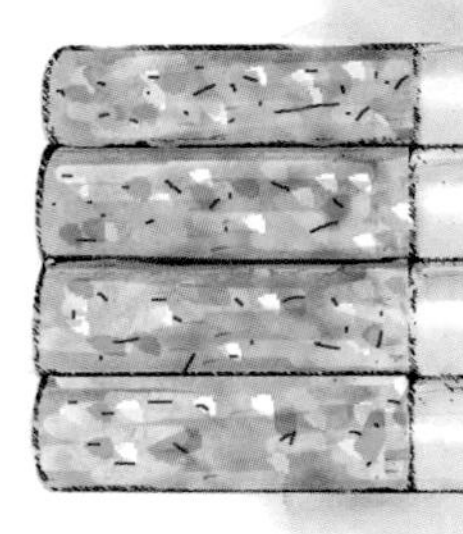

**Poids. Les dépenses basales de l'organisme au repos sont augmentées d'environ 250 à 300 calories pour 20 cigarettes par jour.**

## *No smoking*

C'est le premier déclic. On se dit ensuite que les sensations que l'on acquiert au fil des semaines valent le coup : se lever le matin sans bouche pâteuse ni mal de crâne, même après une soirée arrosée et une nuit courte ; recevoir des compliments sur l'éclat de son teint. Au fur et à mesure que les jours défilent, l'envie reste mais les raisons de replonger s'éloignent parce qu'elles deviennent vaines. Il a fallu 6 bons gros mois pour cela. Pour que l'absence de tabac devienne un plaisir quotidien. Une vraie source de joie et de fierté. Comme un gosse qui ramène un bon carnet scolaire, je me suis surpris à compter les semaines et à avoir envie de fêter le temps qui passe. On n'imagine pas le bonheur d'embrasser un enfant, une femme, sans avoir à retenir son souffle discrètement avant de poser ses lèvres sur leur joue, de crainte de les gêner. Fini. Arrêter de fumer, c'est comme retaper une vieille maison dont on est tombé